MARC BRO

ARTHUR
baby-sitter

épigones

Avec toute mon affection et mes remerciements
à certains grands lecteurs et auteurs :
Barbara Bush ; la classe de Mlle Cassell
à Terre Haute, dans l'Indiana ;
et la classe de Mary Etta Bitter à Lakewood,
dans l'Ohio

traduit par Natalie Zimmermann

© 1992, Marc Brown.
© 1999, Éditions Épigones,
ISBN 2-7366-5317-3 pour l'édition française.
Dépôt légal : novembre 1999, Bibliothèque nationale.
Imprimé en CEE.

La sœur d'Arthur, Didiminou, a un problème.
– Les jumeaux Tibble sont revenus, et ils me rendent folle !
se lamente-t-elle. Je n'arrive pas à m'en débarrasser.
– Oh, ils ne sont pas si désagréables,
proteste Arthur.
– Qu'est-ce que tu en sais ? rétorque Didiminou.

Cet après-midi-là, Arthur et Didiminou promènent Kate.
– Regarde ! s'écrient les jumeaux. Voilà Didiminou !
– Oh, non ! proteste Didiminou. Vite, cachons-nous !
Madame Tibble a l'air bien embêté.
– Je ne sais pas quoi faire, dit-elle. Je ne trouve personne
pour garder mes petits-fils ce soir .
– Arthur peut le faire, suggère Didiminou. Il me garde tout
le temps.
– Oh, Arthur, tu me sauves la vie ! assure madame Tibble.
J'appelle ta mère tout de suite pour voir si ça lui convient.

– C'est une grosse responsabilité de garder des enfants, dit Arthur. J'ai un peu le trac.

– Tu seras parfait, assure maman.

– Et nous serons là si tu as besoin de nous appeler, dit papa.

– Tiens, prends mon casque, propose Didiminou. Tu vas en avoir besoin.

– Pourquoi ? s'étonne Arthur. Tu viens aussi ?

– Arrête de te moquer de moi, répond Didiminou !
                    Tu verras bien !

En chemin, **Arthur passe devant** La Boîte à Bonbons.
– Salut Arth**ur, lance Buster.** Où vas-tu ?
– Je vais fair**e du baby-sitting** chez madame Tibble,
répond Arth**ur.**

– Pas les terribles jumeaux Tibble ! s'exclame Prunelle.
Ma sœur les a gardés une fois, et ça lui a suffi.
– Tu peux toujours renoncer, conseille Buster...
pendant que tu es encore en vie.
– Ne t'en fais pas, dit Francine. Ce sera juste comme
quand tu gardais Didiminou et la petite Kate.

Arthur se souvient très bien comment c'était.

Alors, maintenant, il est vraiment inquiet.

Madame Tibble attend Arthur avec impatience.
– Comme je suis contente que tu sois là, dit-elle.
Et les jumeaux aussi. Voici le petit Tom, en rouge,
et Tim en bleu. Il est bientôt l'heure de se coucher,
mes chéris ! Je ne serai pas longue.
– Pas longue du tout, j'espère, murmure Arthur.
– Bonne nuit, mamie, disent les jumeaux
avec un air angélique.

– Elle est partie ! hurlent les jumeaux.
On va jouer !

BANG!

BANG!

BANG!

– Non, on va se coucher, corrige Arthur.
– On n'a pas sommeil, dit Tim.

La sonnerie du téléphone retentit. C'est Didiminou.
– J'appelle pour te donner un petit conseil, dit-elle.
Calme-les avec un jeu tranquille... une partie de cartes
par exemple.
– Merci, dit Arthur. Au revoir !
– Que diriez-vous d'une partie de cartes ? propose Arthur.
– Super ! s'écrient les jumeaux.
– On connaît un jeu de cartes vraiment bien...
dit Tom.

– Les cinquante-deux qui volent partout ! hurlent-ils
Au même instant, le téléphone se remet à sonner.
C'est encore Didiminou.
– On dirait que tu perds le contrôle, commente-t-elle.
Il faut que tu leur montres qui est le chef !
– Merci beaucoup, dit Arthur.

– On joue aux cow-boys ! **propose Tom.**
– D'accord, mais je serai **le shérif, parce que** c'est moi le chef.
– Et nous, on sera les b**andits, dit Tim.**

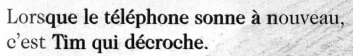

Lorsque le téléphone sonne à nouveau,
c'est **Tim** qui décroche.
– **Ar**thur **ne peut pas répondre** maintenant,
dit-il. **Il est ficelé.**
– On **joue à cache-cache !** lance Tom.
Tu nous trouveras jamais !

20

Quand Arthur réussit enfin à se détacher, il fouille partout sans rien trouver. Oh là là ! se dit-il, je vais avoir de gros problèmes.

Le téléphone se met à sonner.

– Où en êtes-vous, là-bas ? demande Didiminou.
Ils devraient être couchés, non ?
– Je ne peux pas te parler maintenant, dit Arthur.
Je cherche les jumeaux.
– Tu veux dire que tu les as perdus ? hurle Didiminou.
– Pas exactement. C'est juste que je n'arrive pas
à les trouver.
– Te voilà dans de beaux draps ! assure Didiminou.
Que vas-tu faire ?
À cet instant, Arthur remarque un mouvement
derrière les rideaux.

– On verra, répond-il. J'espère seulement que je vais
les retrouver avant l'arrivée de la créature des marais !
ajoute-t-il d'une voix forte.
– La créature des marais ? demande Tom
derrière le rideau.

– Oui, celle qui sort par des nuits comme celle-ci, explique Arthur. Asseyez-vous, je vais vous raconter. Il était une fois un marais sombre et effrayant où vivait une horrible créature, énorme, verdâtre, gluante et puante, commence Arthur de sa voix la plus caverneuse.

– Une sorte de monstre ? demande Tim d'une petite voix.

– Exactement, dit Arthur. Avec de longues dents aiguisées. Et puis la créature des marais s'aperçut qu'elle avait faim, très faim. Alors elle quitta ses marais pour chercher son dîner.

– Qu'est-ce qu'elle mangeait ? interroge Tim d'une voix tremblante.

– Des petits garçons, dit Arthur. Surtout des jumeaux.

Les jumeaux se rapprochent d'Arthur.
– La créature des marais avait si faim qu'elle gémissait,
reprend Arthur. Puis elle arriva devant une grande
maison semblable à celle-ci.

– J'entends des pas ! s'écrie Tim.
– C'est sûrement ton imagination, dit Arthur.
Tu veux venir sur mes genoux ?
– Euh, rien qu'un petit peu, répond Tim.

– Lentement... chuchote Arthur, avec ses grandes mains verdâtres, la créature des marais ouvrit la porte d'entrée... Je sens la chair fraîche ! dit-elle en se léchant les babines.

– Au secours ! s'écrient les jumeaux.

– Elle est devant chez nous ! hurle Tim.

28

Effectivement, à cet instant, la porte d'entrée s'ouvre
et la lumière s'allume.

– Je suis là, dit madame Tibble. Regardez ces petits
anges. Arthur doit être un baby-sitter formidable.

– Il n'a peur de rien, dit Tim.

– Et il raconte des histoires super ! renchérit Tom.
On veut qu'il revienne nous garder.

– Les deux jumeaux embrassent Arthur avant d'aller se
coucher.

Puis madame Tibble
paie Arthur et le remercie
d'avoir fait du si bon travail.

Quand Arthur rentre chez lui, Didiminou ne dort pas encore.
– Tu rentres tôt, dit-elle. On t'a mis à la porte ou quoi ?
– Pas du tout, répond Arthur. Ce n'est pas si difficile
de garder des enfants, et madame Tibble dit que je suis
plutôt doué, et...